4 Groupes Sanguins 4 Régimes

Le Régime du Groupe AB

Dr Peter J. D'Adamo
avec la collaboration de Catherine Whitney

4 Groupes
Sanguins
4 Régimes

Le Régime du Groupe AB

Traduit de l'américain par Anne Lavédrine

DU MÊME AUTEUR

Chez le même éditeur

4 Groupes sanguins 4 Régimes

4 Groupes sanguins 4 Modes de vie

Titre original :

Blood Type AB
Food, Beverage and Supplement List from Eat Right for your Type,
publié par Berkeley Publishing Groupe,
une division de Penguin Putnam.

7-13, boulevard Paul-Émile-Victor - Ile de la Jatte
92521 Neuilly-sur-Seine Cedex

Aux porteurs du groupe sanguin AB du XXIe siècle :
puissiez-vous prendre pleinement conscience
de votre fantastique héritage génétique.

AVIS IMPORTANT

Ce livre ne vise en aucun cas à se substituer à un avis médical. Il se propose uniquement de fournir des informations utiles au lecteur pour collaborer avec son médecin et avec les autres professionnels de la santé en vue d'atteindre un bien-être optimal.

L'identité des personnes citées au fil de ce livre a été modifiée, afin de préserver le secret médical.

Ce que les personnes du groupe AB disent du régime du Groupe AB

Eileen M., 31 ans

LE PLUS GRAND BIENFAIT que j'aie remarqué depuis que j'ai adopté le régime du groupe AB réside dans le rééquilibrage complet de mon taux de sucre sanguin. Avant, je ne pouvais presque plus manger de fruits car leur ingestion enclenchait un cycle infernal d'hyper- et d'hypoglycémie. Maintenant, tant que je respecte le régime du groupe AB, mon taux de sucre sanguin demeure stable et j'ai deux fois plus d'énergie que par le passé. Avantage annexe : l'aspect de mes mains et de mes ongles s'est incroyablement amélioré !

James M., 40 ans

QUAND J'AI ADOPTÉ LE RÉGIME du groupe AB et complètement cessé de manger de la viande rouge, j'ai vu mon énergie grimper en flèche. En outre, je me sentais de meilleure humeur et l'esprit plus alerte. Et même si je n'étais pas vraiment gros, j'ai apprécié les quatre kilos que ce protocole m'a fait perdre. Voilà des années que je n'avais tenu une telle forme.

Mary K., 35 ans

Je souffre depuis plusieurs années de fibromyalgie, mais au bout de six mois de régime du groupe AB j'ai vu mes symptômes diminuer de façon spectaculaire. Je souffre moins, j'ai plus d'énergie et je résiste mieux aux agressions virales. En plus, j'ai perdu près de douze kilos. Moi qui croyais auparavant que je ne me sentirais plus jamais en forme, il me semble commencer une nouvelle existence.

Sandra S., 55 ans

Je suivais un traitement à base d'hormones thyroïdiennes depuis une dizaine d'années, mais j'ai pu l'interrompre après huit mois de régime du groupe AB. Je vais bien, je me sens incomparablement plus énergique et le poids qui semblait me peser en permanence sur les épaules s'est envolé. Me voilà redevenue une personne normale, chose qui ne m'était pas arrivée depuis bien longtemps.

Martha B., 45 ans

VOICI PLUSIEURS ANNÉES que je souffre d'hypercholestérolémie. Aucun des régimes que j'avais suivis jusqu'alors n'avait eu d'effet sur mon taux de cholestérol – le protocole prescrit par mon médecin l'avait même fait grimper ! Il m'a suffi de quelques mois de régime du groupe AB pour que mon taux de cholestérol LDL chute de 210 à 140 mmol/l et que mon cholestérol total retombe à 170. Je n'en reviens pas et mon médecin non plus. Je compte bien respecter ce régime pour le restant de mes jours.

Ted M., 33 ans

LE RÉGIME DU GROUPE AB m'a permis de réduire considérablement mon taux de graisse corporelle. Mon tour de taille est passé de 92 cm à 78 cm et je vois de nouveau mes abdominaux !

Message à l'intention des sujets du groupe AB

CHER LECTEUR DU GROUPE AB,

Ce livret intitulé *Le Régime du Groupe AB* se concentre sur l'application à votre cas des principes et des stratégies du régime Groupe sanguin. Si vous venez d'entreprendre ce régime, vous trouverez là un guide simple et accessible qui vous permettra d'assimiler les préceptes de base. Si vous suivez déjà ce protocole nutritionnel et connaissez mes précédents ouvrages (*4 Groupes sanguins 4 Régimes* et *4 Groupes Sanguins 4 Modes de vie*), considérez-le comme un manuel de référence à emporter partout avec vous pour vous aider à mémoriser mes recommandations nutritionnelles.

Depuis la publication du régime Groupe sanguin, voici bientôt sept ans, j'ai reçu plusieurs dizaines de milliers de témoignages en provenance du monde entier. Beaucoup émanent de sujets du groupe AB qui ont surmonté des problèmes de santé chroniques et des maladies graves, ou remporté un combat de longue date contre les kilos, simplement en adoptant une alimentation et un mode de vie adaptés à leur groupe sanguin. Un nombre croissant d'études appuient la théorie selon laquelle nos différences individuelles revêtent une réelle importance en termes de santé et d'hygiène de vie.

J'espère sincèrement que vous rejoindrez les rangs de vos congénères du groupe AB qui ont obtenu de tels succès. Je vous invite à découvrir le renouveau de bien-être et de bonne santé que le régime du groupe AB engendre.

Dr Peter J. D'Adamo

Note de l'auteur

Ce livre a été conçu, afin de regrouper exclusivement les informations les plus essentielles sur le régime Groupe sanguin.

Pour en optimiser le bénéfice thérapeutique, le Dr D'Adamo recommande vivement la lecture de ses livres *4 Groupes sanguins 4 Régimes* et *4 Groupes sanguins 4 Modes de vie*, lesquels exposent de façon plus complète ses recherches et ses conseils nutritionnels. Ces ouvrages contiennent des explications scientifiques qui vous permettront de mesurer pleinement l'influence du groupe sanguin sur l'alimentation, l'activité physique, la santé, la maladie, la longévité, la vitalité et la stabilité émotionnelle.

INTRODUCTION

La connexion groupe sanguin – régime

ÉTABLIR UN LIEN entre le groupe sanguin et l'alimentation peut paraître au premier abord un raccourci un peu hâtif. Pourtant, on s'aperçoit bien souvent qu'une telle connexion apporte des réponses aux questions les plus troublantes. Il est depuis longtemps admis qu'il manque un « chaînon » dans notre compréhension du processus étrange selon lequel certains suivent la voie du bien-être et de la santé tandis que d'autres s'en écartent. Il doit bien exister une raison aux résultats discordants des études nutritionnelles et des statistiques de survie aux maladies. L'analyse des groupes sanguins permet d'expliquer ces paradoxes.

Les groupes sanguins sont aussi essentiels que la vie elle-même. Dans la fascinante logique de la nature, ils se perpétuent sans relâche depuis les origines de l'humanité. Ils constituent l'empreinte de nos ancêtres sur le parchemin indestructible de l'Histoire. En tant que porteur du groupe sanguin AB, vous affichez un héritage génétique mélangé qui incorpore des caractéristiques du groupe A et des caractéristiques du groupe B. Le gène du groupe AB, vieux d'un millénaire seulement, a permis à vos aïeux d'entrer de plain-pied dans le monde moderne.

Votre groupe sanguin détient la clé de votre système immunitaire et constitue de ce fait l'un des facteurs déterminants de votre profil médical. L'antigène du groupe sanguin fait office de gardien de l'organisme en produisant des anticorps, afin de combattre d'éventuels intrus. Quand un anticorps rencontre l'antigène d'un envahisseur bactérien, il se produit une réaction appelée « agglutination » : l'anticorps s'agrège aux intrus – virus, parasites ou bactéries –, les rendant si « collants » que ceux-ci viennent s'agglutiner en une masse plus commodément repérable, ce qui facilite d'autant leur élimination.

Cela dit, le rôle des antigènes et des anticorps sanguins va bien au-delà de la simple lutte contre les agents microbiens et les autres envahisseurs. On a ainsi remarqué que nombre d'aliments suscitaient un processus d'agglutination similaire à celui qui se produit en présence d'un antigène étranger, mais rarement chez tous les groupes sanguins à la fois. Cela signifie qu'un aliment exerçant une action néfaste sur les cellules sanguines d'un groupe peut être bénéfique pour celles d'un autre.

La réaction chimique qui se produit entre votre sang et les aliments que vous ingérez dépend de votre patrimoine génétique. Elle résulte de l'action de protéines appelées lectines. Présentes en grande quantité dans les aliments, ces lectines possèdent des propriétés agglutinantes. Dans la nature, elles permettent à deux micro-organismes de se lier l'un à l'autre. Souvent, cette super-colle naturelle est attirée prioritairement par certains antigènes sanguins, ce qui les rend plus néfastes pour les groupes en question.

Lorsque vous consommez un aliment contenant des lectines incompatibles avec vos antigènes sanguins, ces lectines prennent pour cible un de vos organes ou de vos appareils (les reins, le foie, le cerveau, l'appareil digestif, etc.) et se mettent à agglutiner des cellules sanguines dans cette zone. Par exemple, la lectine du haricot de Lima réagit avec le sang des personnes du groupe AB en s'attaquant aux enzymes digestives et en entravant la sécrétion d'insuline.

Le régime du groupe AB permet de rétablir les fonctions protectrices naturelles de votre système immunitaire, de réguler votre métabolisme et de débarrasser votre sang des lectines agglutinantes nocives. Chacun en tire des bienfaits, qui varieront en fonction de son état de santé et de la rigueur avec laquelle il respecte son programme nutritionnel.

Les bases du régime du groupe AB

VIEUX D'UN MILLIER D'ANNÉES seulement, le groupe sanguin AB est rare (il ne représente que 2 à 5 % de la population) et d'une grande complexité biologique. Puisque vous possédez les antigènes du groupe A et du groupe B, votre alimentation idéale combine l'orientation végétarienne du régime du groupe A et les besoins en viande et en laitages du groupe B. Un bon équilibre entre ces préceptes nutritionnels vous permettra de conserver votre santé, votre énergie et votre sveltesse. Le régime du groupe AB fonctionne parce qu'il propose un plan d'action clair, logique, scientifiquement établi et prouvé, et correspondant à votre profil cellulaire.

Dans le cadre de votre protocole nutritionnel, les aliments sont répartis en treize groupes :

- viandes et volailles,
- poisson, crustacés et mollusques,
- laitages et œufs,
- huiles et corps gras,
- noix et graines,
- pois et légumes secs,
- céréales et produits céréaliers,
- légumes,
- fruits,
- jus de fruits et de légumes,
- épices, condiments et additifs culinaires,
- tisanes,
- autres boissons.

Au sein de chacun de ces groupes, on distingue trois catégories d'aliments : ceux qui sont TRÈS BÉNÉFIQUES, ceux qui sont NEUTRES et ceux qu'il faut ÉVITER. Cela revient à dire que :

- un aliment TRÈS BÉNÉFIQUE agit comme un MÉDICAMENT ;
- un aliment À ÉVITER agit comme un POISON ;
- un aliment NEUTRE agit comme un ALIMENT.

Ne vous laissez pas effrayer par le terme « éviter ». Le régime du groupe AB repose sur un éventail d'aliments suffisamment vaste pour prévenir toute frustration. Dès que vous le pouvez, préférez les aliments « très bénéfiques » aux autres, mais ne vous privez pas pour autant des aliments « neutres » que vous appréciez. Ces derniers ne contiennent pas de lectines nocives pour vous et renferment en revanche des nutriments utiles au bon équilibre de votre alimentation.

Au début de chaque sous-chapitre consacré à une catégorie d'aliments, vous trouverez un tableau récapitulatif de ce type (à noter : le nombre de portions, en général hebdomadaire, est parfois quotidien).

Groupe sanguin AB	Portion par semaine si vous êtes d'ascendance			
		européenne	africaine	asiatique
Tous les poissons, crustacés et mollusques	140-170 g	3 à 5 fois	1 à 4 fois	4 à 6 fois

Les portions indiquées dans ces tableaux sont détaillées en fonction de l'origine ethnique de chacun.

Ces adaptations spécifiques prennent également en considération les caractéristiques morphologiques typiques de ces populations. Elles ne constituent pas des règles strictes, mais seulement des recommandations destinées à vous aider à affiner encore plus votre régime en fonction de votre hérédité.

Mon conseil

Utilisez-les si elles vous semblent bénéfiques et ignorez-les si ce n'est pas le cas. En tout état de cause, vous apprendrez à déterminer vous-même les quantités qui vous conviennent le mieux.

CHAPITRE 1

Viandes et volailles

Groupe AB	Portion par semaine si vous êtes d'ascendance			
		européenne	africaine	asiatique
Viande rouge maigre	115-170 g (hommes)	1 à 3 fois	2 à 3 fois	1 à 3 fois
Volaille	60-140 g (femmes et enfants)	0 à 2 fois	0 à 2 fois	0 à 2 fois

Les sujets du groupe AB doivent surveiller le volume de leurs portions et la fréquence de leurs repas carnés, car leur estomac ne produit pas assez de sucs acides pour digérer efficacement un apport excessif en protéines animales. La solution réside dans le contrôle des portions et de la fréquence des apports. Préférez l'agneau, le mouton, le lapin ou la dinde au bœuf. Et comme la lectine du poulet entrave votre digestion, renoncez-y.

TRÈS BÉNÉFIQUES

Agneau	Lapin
Dinde	Mouton

NEUTRES

Autruche	Foie
Faisan	

À ÉVITER

Bacon	Gibier à poil
Bécasse	Jambon
Bison	Oie
Bœuf	Perdreau
Caille	Pintade
Canard	Porc
Cervelle	Poulet
Cheval	Veau
Cœur	

CHAPITRE 2

Poisson, crustacés et mollusques

Groupe AB	Portion par semaine si vous êtes d'ascendance			
		européenne	africaine	asiatique
Tous les produits de la mer	115-170 g	3 à 5 fois	3 à 5 fois	4 à 6 fois

Un large éventail de poissons, de mollusques et de crustacés s'offre à vous, et tous constituent des sources de protéines idéales. Les femmes du groupe AB qui ont des antécédents familiaux de cancer du sein auront avantage à introduire les escargots dans leur alimentation. L'escargot comestible *Helix pomatia* contient en effet une puissante lectine qui agglutine spécifiquement les cellules mutantes de groupe A de deux des formes les plus communes de cancer du sein. Dans ce cas, le phénomène d'agglutination se révèle positif et utile puisque la lectine de l'escargot vous débarrasse des cellules malades.

TRÈS BÉNÉFIQUES

Alose	Maquereau
Baudroie	Mérou
Brochet	Morue
Capitaine	Sandre
Daurade	Sardine
Doré jaune	Saumon
Escargots	Thon
Esturgeon	Voilier
Mahimahi (daurade coryphène)	

NEUTRES

Acoupa royal	Maquereau espagnol
Brosme	Maskinongé
Cabillaud	Meunier
Calicagère bleue	Moules
Calicagère demi-lune	Mulet
Calmar	Ormeau
Carpe	Perche
Caviar	Poisson-chat
Coquille Saint-Jacques	Poisson-perroquet
Corégone	Pompano
Empereur	Rascasse rouge
Éperlan	Requin
Espadon	Saumon des moissons
Grand tambour	Silure jaune
Grondin	Stromatée
Hareng frais	Tassergal

Lieu jaune	Tilapia
Lotte	Vivaneau
Malachigan	

À ÉVITER

Anchois	Harengs saurs
Anguille	Homard
Bar	Huîtres
Barracuda	Lambi
Clams	Langouste
Colin	Limande à queue jaune
Crabe	Merlan
Crevettes	Œufs de saumon
Écrevisse	Poulpe
Flet	Saumon fumé
Flétan	Sole
Grenouilles	Truite (toutes variétés)
Haddock	

CHAPITRE 3

Laitages et œufs

Groupe AB	Portion par semaine si vous êtes d'ascendance			
		européenne	africaine	asiatique
Œufs	1 œuf	3 à 4 fois	2 à 6 fois	2 à 3 fois
Fromage	55 g	3 à 4 fois	2 à 3 fois	3 à 4 fois
Yaourt	115-170 g	2 à 3 fois	1 à 4 fois	1 à 4 fois
Lait	115-170 ml	1 à 3 fois	1 à 2 fois	0 à 2 fois

Les laitages, en particulier les produits fermentés ou aigres tels que le yaourt, le kéfir ou la crème aigre, plus faciles à digérer que le lait lui-même, sont excellents pour les personnes du groupe AB. Une seule chose à surveiller : vos sécrétions de mucosités. Si vous souffrez de problèmes respiratoires ou de sinus ou êtes vulnérable aux infections ORL, réduisez votre consommation de laitages. Les œufs constituent quant à eux une très bonne source de protéines pour le groupe AB.

TRÈS BÉNÉFIQUES

Blanc d'œuf (poule)	Kéfir
Cottage cheese	Lait de chèvre
Crème aigre allégée	Mozzarella
Féta	Ricotta
Fromage de chèvre	Yaourt

NEUTRES

Cheddar	Jaune d'œuf
Edam	Lait de vache (écrémé ou demi-écrémé)
Emmenthal	Munster
Fromage frais	Neufchâtel
Ghee (beurre clarifié)	Œuf de caille
Gouda	Œuf d'oie
Gruyère	*Paneer* (fromage indien)
Jarlsberg	Petit-lait

À ÉVITER

Babeurre	Lait entier (vache)
Beurre	Œuf de cane
Bleu	Parmesan
Brie	Provolone
Camembert	Sorbet laitier (*sherbet*)
Crèmes glacées	

CHAPITRE 4

Huiles et corps gras

Groupe AB	Portion par semaine si vous êtes d'ascendance		
		européenne	africaine	asiatique
Huiles	1 cuillerée à soupe	5 à 8 fois	4 à 7 fois	5 à 7 fois

Préférez l'huile d'olive aux graisses animales, aux graisses végétales hydrogénées et aux autres huiles végétales. L'huile d'olive est un corps gras mono-insaturé, un type de graisse qui réduit le taux de cholestérol sanguin.

Songez également à tester des huiles riches en acides gras oméga, telles que l'huile de lin : elles favorisent l'absorption du calcium dans l'intestin grêle.

TRÈS BÉNÉFIQUES

Huile de noix	Huile d'olive

NEUTRES

Ghee (beurre clarifié)	Huile de germe de blé
Huile d'amande	Huile de graines de lin
Huile d'arachide	Huile d'onagre
Huile de bourrache	Huile de pépins de cassis
Huile de colza	Huile de ricin
Huile de foie de morue	Huile de soja

À ÉVITER

Huile de carthame	Huile de maïs
Huile de coco ou de coprah	Huile de sésame
Huile de graines de coton	Huile de tournesol

CHAPITRE 5

Noix et graines

Groupe AB	Portion par semaine si vous êtes d'ascendance			
		européenne	africaine	asiatique
Noix et graines	1 poignée	2 à 4 fois	2 à 4 fois	2 à 3 fois
Beurres de noix	1-2 cuillerées à soupe	3 à 6 fois	3 à 6 fois	3 à 6 fois

Les noix et les graines constituent une catégorie d'aliments délicate à manier pour le groupe AB. Mangez-en en petites quantités et avec précaution : bien qu'elles représentent une bonne source auxiliaire de protéines, toutes les graines contiennent des lectines qui inhibent la production d'insuline chez vous. En revanche, les cacahuètes stimulent efficacement vos défenses immunitaires.

TRÈS BÉNÉFIQUES

Beurre de cacahuète	Châtaignes
Cacahuètes	Noix

NEUTRES

Amandes	Noix du Brésil
Beurre d'amande	Noix de cajou
Beurre de cajou	Noix de caryer (*hickory*)
Beurre de pécan	Noix de macadamia
Faines	Noix de noyer cendré (*butternut*)
Graines de carthame	Noix de pécan (pacane)
Graines de lin	Pignons
Lait d'amande	Pistaches

À ÉVITER

Beurre de tournesol	Graines de tournesol
Graines de courge	Noisettes
Graines de pavot	Tahini (beurre de sésame)
Graines de sésame	

CHAPITRE 6

Pois et légumes secs

Groupe AB	Portion par semaine si vous êtes d'ascendance			
		européenne	africaine	asiatique
Pois et légumes secs	1 tasse de 225 ml (produit sec)	2 à 3 fois	4 à 5 fois	4 à 6 fois

Voici un autre point délicat pour l'alimentation du groupe AB. Par exemple, les lentilles renferment des anti-oxydants susceptibles de prévenir l'apparition de certains cancers. En revanche, les haricots de Lima ou les haricots rouges ralentissent votre production d'insuline.

TRÈS BÉNÉFIQUES

Graines de soja	Miso *
Haricots cocos	*Tempeh* *
Haricots mojettes	Tofu *
Lentilles vertes	

* *Produits dérivés du soja.*

NEUTRES

Flageolets	Haricots Soissons
Flocons de soja	Haricots verts
Fromage de soja	Jicama
Graines de tamarin	Lait de soja
Granulés de soja	Lentilles rouges
Haricots blancs	Petits pois
Haricots mange-tout	Pois gourmands
Haricots Northern	

À ÉVITER

Fèves	Haricots mungo (pousses)
Haricots adzuki	Haricots noirs
Haricots de Lima	Haricots rouges
Haricots cornille (ou *blackeyes*)	Pois chiches

CHAPITRE 7

Céréales et produits céréaliers

Groupe AB	Portion par semaine si vous êtes d'ascendance			
		européenne	africaine	asiatique
Céréales, pain et pâtes	1/2 tasse de 225 ml de céréales ou de pâtes (produit sec), 1 muffin ou 2 tranches de pain	6 à 9 fois	6 à 8 fois	6 à 10 fois

Les céréales conviennent plutôt bien aux sujets du groupe AB. N'abusez cependant pas du blé, surtout si vous souffrez de mucosités trop abondantes liées à un problème d'asthme ou d'infections respiratoires fréquentes. Préférez les flocons d'avoine ou de soja, le millet ou les granulés de riz ou de soja, ou encore le pain Essène, mais renoncez au sarrasin et au maïs.

Le riz vous profitera mieux que les pâtes, mais vous pouvez vous accorder un plat de spaghettis ou de lasagnes une ou deux fois par semaine. Une fois encore, évitez simplement les variétés confectionnées à partir de sarrasin ou de maïs au profit de l'avoine et du seigle. N'abusez pas non plus du son et du germe de blé : pas plus d'une fois par semaine.

TRÈS BÉNÉFIQUES

Amarante	Pain de riz
Épeautre complète	Pain de seigle (100 % seigle)
Farine d'avoine	Pain de soja
Farine de seigle	Riz basmati
Flocons d'avoine	Riz blanc
Galettes de riz	Riz complet
Galettes Ryvita	Riz sauvage
Galettes de seigle	Riz soufflé
Millet	Son d'avoine
Pain de blé germé industriel	Son de riz
Pain Essène (pain de blé germé)	

NEUTRES

Blé concassé	Orge
Couscous	Pain azyme
Crème de blé	Pain d'épeautre
Crème de riz	Pain multicéréales
Farine de blé complète (produits à base de)	Pâtes aux épinards
Farine de blé au gluten (produits à base de)	Pâtes à la semoule de blé dur
Farine de blé raffinée (produits à base de)	Quinoa

Germe de blé	Sept céréales
Muffins au son de blé	Son de blé

À ÉVITER

Blé kamut	Pâtes à la farine de topinambour (100 %)
Cornflakes	Pop corn
Farine de maïs	Sarrasin
Fécule de maïs	Soba (nouilles japonaises 100 % sarrasin)
Kasha	Sorgho
Maïs (toutes variétés)	Tapioca
Pain de maïs	*Teff* *

* *Céréale proche du millet* (Eragostis abyssinica) *consommée en Afrique orientale depuis plusieurs millénaires et cultivée depuis 1988 dans d'autres régions du monde.*

CHAPITRE 8

Légumes

Groupe AB	Portion par semaine si vous êtes d'ascendance			
		européenne	africaine	asiatique
Légumes cuits	1 tasse de 225 ml	3 à 5 fois	3 à 5 fois	3 à 5 fois
Légumes crus	1 tasse de 225 ml	3 à 5 fois	3 à 5 fois	3 à 5 fois

Les légumes frais constituent une importante source de substances phytochimiques, des substances naturelles présentes dans les aliments et qui contribuent à la prévention des cancers et des affections cardio-vasculaires – lesquelles affectent plus souvent les personnes du groupe AB que les autres, car leurs défenses immunitaires sont moins efficaces. Un large éventail de légumes s'offre à vous : vous n'avez que l'embarras du choix.

TRÈS BÉNÉFIQUES

Ail	Concombre
Alfalfa/luzerne (pousses)	Igname
Aubergine	Jus de carotte
Betterave	Jus de chou
Betterave (fanes)	Maitaké (champignon)
Brocolis	Moutarde (feuilles)
Céleri-branche (et jus de céleri)	Panais
Chou cavalier	Patate douce
Chou-fleur	Persil
Chou frisé	Pissenlit

NEUTRES

Algues	Fenouil
Asperges	Crosses de fougère
Bambou (pousses)	Gingembre
Blettes	Gombo (okra)
Carotte	Haricots verts
Céleri-rave	Jus de concombre
Champignons enoki	Laitue
Champignons de Paris	Mesclun
Champignons Portobello	Navet
Châtaigne d'eau	Oignon (toutes variétés)
Chicorée	Olives vertes
Chou (toutes variétés)	*Pak-choï*
Chou de Bruxelles	Petit pois
Chou-rave	Piment
Chou romanesco	Pleurote
Choucroute	Poireau

Ciboule	Pois gourmand
Citrouille	Pomme de terre
Coriandre	Potiron
Coulemelle	Raifort
Courges (toutes variétés)	Romaine
Courgette	Roquette
Cresson	Rutabaga
Daikon (navet oriental)	Scarole
Échalote	Taro
Endive	Tomate (et jus de tomate)
Épinard (et jus d'épinard)	

À ÉVITER

Aloès	*Pickles* (toutes variétés)
Artichaut	Poivron (toutes variétés)
Avocat	Radis
Haricots mungo (pousses)	Radis (pousses)
Maïs	*Shiitake* (champignon)
Olives noires	Topinambour

CHAPITRE 9

Fruits

Groupe AB	Portion par semaine si vous êtes d'ascendance			
		européenne	africaine	asiatique
Tous les fruits recommandés	1 fruit ou 85-140 g	3 à 4 fois	3 à 4 fois	3 à 4 fois

Sujets du groupe AB, insistez sur les fruits les plus alcalins, comme les raisins, les prunes et les fruits rouges. Évitez les oranges, qui irritent votre estomac et entravent la bonne absorption de précieux oligo-éléments. Les citrons, en revanche, vous aident à digérer et à éliminer les mucosités. La vitamine C étant un anti-oxydant particulièrement utile pour la prévention des cancers de l'estomac, veillez à manger des fruits qui en contiennent en abondance, comme les pamplemousses ou les kiwis. En revanche, comme la lectine des bananes entrave la digestion des sujets du groupe AB, je recommande à mes patients de lui substituer d'autres fruits riches en potassium tels que les abricots, les figues et certaines variétés de melons.

TRÈS BÉNÉFIQUES

Ananas	Kiwi
Canneberges (*cranberries* et jus de canneberges)	Pamplemousse
Cerises	Pastèque
Citron (et jus de citron)	Prunes (toutes variétés)
Figues (fraîches ou séchées)	Raisin (toutes variétés)
Groseilles à maquereau	

NEUTRES

Abricot (et jus d'abricot)	Melon
Anone (fruit de l'arbre à pain)	Melons d'hiver (Canang, Casaba, Christmas, Crenshaw, Honeydew, d'Espagne, musqué)
Banane plantain	Mûre (et jus de mûre)
Cassis	Myrtille
Citron vert (et jus de citron vert)	Nectarine (et jus de nectarine)
Clémentine (et jus de clémentine)	Papaye
Dattes	Pêche
Fraise	Poire (et jus de poire)
Framboise	Poire de Chine
Groseille	Pomme (et jus de pomme)
Jus d'ananas	Pruneau (et jus de pruneau)
Jus de pamplemousse	Raisins secs
Kumquats	Baies de sureau

À ÉVITER	
Banane	Kaki
Carambole	Mangue (et jus de mangue)
Coing	Melon amer
Figue de Barbarie	Noix de coco
Goyave (et jus de goyave)	Orange
Grenade	Sagou

CHAPITRE 10

Jus de fruits et de légumes

Groupe AB	Portion par semaine si vous êtes d'ascendance			
		européenne	africaine	asiatique
Jus de fruits et de légumes recommandés	225 ml	2 à 3 fois	2 à 3 fois	2 à 3 fois
Eau	225 ml	4 à 7 fois	4 à 7 fois	4 à 7 fois

Les personnes du groupe AB devraient boire chaque matin au lever un verre d'eau chaude dans lequel elles auront pressé le jus d'un citron, afin d'éliminer les mucosités accumulées au cours de la nuit dans leur organisme. Ce breuvage favorise également l'élimination des déchets organiques. Buvez ensuite un verre de jus de pamplemousse ou de papaye dilué à l'eau. Choisissez vos ingrédients de base en fonction des recommandations des chapitres 8 et 9.

Consommez plus souvent les jus des fruits très alcalins, par exemple les cerises noires, les canneberges (*cranberries*) ou les raisins.

CHAPITRE 11

Épices, condiments et additifs culinaires

POUR SALER VOS PLATS, utilisez exclusivement du sel de mer ou des algues, pauvres en sodium. Ces dernières, telles que les laminaires, sont en outre excellentes pour le cœur et pour le système immunitaire. Elles vous aideront aussi à contrôler efficacement votre poids. Fuyez en revanche le poivre et le vinaigre, trop acides pour vous. Fuyez également les *pickles*, déconseillés aux personnes prédisposées aux cancers de l'estomac, ce qui est le cas de l'ensemble des membres du groupe AB. Évitez également le ketchup, qui contient lui aussi du vinaigre, et la sauce Worcestershire, qui renferme du sirop de maïs. Remplacez le vinaigre par du jus de citron, que vous mélangerez avec de l'huile et des fines herbes pour assaisonner vos salades ou vos légumes. N'ayez pas peur de faire un large usage de l'ail, puissant tonique et antibiotique naturel, particulièrement efficace sur les organismes du groupe AB. Le sucre et le chocolat vous sont autorisés, mais sachez demeurer raisonnable. Dosez-les comme des condiments.

TRÈS BÉNÉFIQUES

Ail	Persil
Curry	Raifort
Miso	

NEUTRES

Agar-agar	Marjolaine
Aneth	Mayonnaise
Basilic	Mélasse
Bergamote	Menthe
Cannelle	Menthe poivrée
Câpres	Miel
Cardamome	Moutarde
Caroube	Noix de muscade
Carvi	Paprika
Cerfeuil	Pectine de pomme
Ciboulette	Piment de Cayenne
Chocolat	Réglisse (racine)
Confiture (fruits autorisés)	Romarin
Coriandre	Safran
Crème de tartre	Sarriette
Cumin	Sauce de salade (pauvre en lipides et composée d'ingrédients autorisés)
Curcuma	Sauce de soja
Dulse (algue rouge, rhodyménie palmée)	Sauge
Estragon	Sel de mer

Gaulthérie couchée (*wintergreen*)	Sirop d'érable
Gelée (fruits autorisés)	Sirop de riz
Clou de girofle	Sucre blanc
Laminaire (algue)	Sucre roux
Laurier	Tamari
Levure de bière	Tamarin
Levure de boulanger	Thym
Macis	Vanille

À ÉVITER

Anis	Ketchup
Aspartame	Malt d'orge
Carraghènes	Maltodextrine
Dextrose	*Pickles*
Essence d'amande	Poivre (toutes variétés)
Fécule de maïs	Sauce Worcestershire
Fructose	Sirop de maïs
Gélatine (nature)	Tapioca
Gomme arabique	Toute épice
Gomme de guar	Vinaigre (toutes variétés)
Guarana	

CHAPITRE 12

Tisanes

CHOISISSEZ DE PRÉFÉRENCE des tisanes de plantes qui stimulent vos défenses immunitaires et aident votre organisme à se protéger contre les affections cardio-vasculaires et les cancers, comme l'alfalfa (luzerne), l'aloès, la bardane, la camomille, l'échinacée ou le thé vert.

L'aubépine et la réglisse sont excellentes pour le cœur et les vaisseaux sanguins. Les tisanes de pissenlit, de racine de bardane et de feuilles de fraisier favorisent quant à elles l'absorption du fer par votre organisme et contribuent de ce fait à la prévention de l'anémie.

TRÈS BÉNÉFIQUES

Alfalfa (luzerne)	Échinacée
Aubépine	Fraisier (feuilles)
Bardane	Gingembre
Camomille	Ginseng
Cynorrhodon (baies d'églantier)	Réglisse (racine)

NEUTRES

Achillée millefeuille	Mûrier
Bouleau blanc	Orme rouge
Cataire	Patience sauvage
Chêne blanc (écorce)	Persil
Dong quai	Piment de Cayenne
Framboisier (feuilles)	Pissenlit
Hydrastis du Canada (*goldenseal*)	Salsepareille
Marrube blanc	Sauge
Menthe	Sureau
Menthe poivrée	Thym
Millepertuis	Valériane
Mouron des oiseaux	Verveine

À ÉVITER

Aloès	Rhubarbe
Bouillon blanc	Scutellaire
Capselle bourse-à-pasteur	Séné
Fenugrec	Tilleul
Gentiane	Trèfle rouge
Houblon	Tussilage
Maïs (barbes)	

CHAPITRE 13

Breuvages divers

LE VIN ROUGE est bon pour le groupe AB, car il protège l'appareil cardio-vasculaire. On pense aujourd'hui que l'absorption quotidienne d'un verre de vin rouge réduit le risque cardio-vasculaire chez les hommes comme chez les femmes. Le thé vert exerce quant à lui une précieuse action stimulante sur les défenses immunitaires.

TRÈS BÉNÉFIQUES

Thé vert	Vin rouge

NEUTRES

Bière	Eau gazeuse
Cidre	Vin blanc

À ÉVITER

Alcools forts	Sodas sans sucre
Café	Thé noir
Café décaféiné	Thé noir déthéiné
Sodas (toutes variétés)	

CHAPITRE 14

Suppléments nutritionnels recommandés pour le groupe AB

LE RÉGIME DU GROUPE AB incorpore également certains suppléments en vitamines, en oligo-éléments et en produits à base de plantes destinés à intensifier les bienfaits de ce programme. Comme les aliments, ces compléments ne fonctionnent pas de la même façon chez tous les sujets. Chacun d'eux joue un rôle spécifique au sein de l'organisme et le remède miracle que votre copine du groupe O ou du groupe B vous vante pourra se révéler inutile, voire nocif, pour votre organisme du groupe AB.

Le rôle de toute supplémentation est de renforcer vos atouts et de vous assurer une protection accrue afin de pallier vos défaillances.

Pour les personnes du groupe AB, on cherchera essentiellement à :

- renforcer le système immunitaire,
- apporter des anti-oxydants protégeant contre le cancer,
- tonifier le cœur.

Voici quelques-uns des suppléments qui vous aideront à atteindre ces objectifs ainsi que des mises en gardes relatives à ceux qui peuvent se révéler contre-productifs pour votre organisme du groupe AB.

Le régime du groupe AB apporte de la vitamine A, de la vitamine B12 et de la vitamine E en quantité suffisante pour vous protéger contre les cancers et les atteintes cardio-vasculaires. Les supplémentations s'adressent donc, au premier chef, à ceux qui, pour une raison quelconque, ne respecteraient pas leur régime à la lettre.

Bénéfiques

Acide lipoïque

Cet anti-oxydant joue un rôle important dans le métabolisme des catécholamines, ce qui fait de lui un atout précieux de gestion du stress pour les sujets du groupe AB.

Citrulline

Cet acide aminé participe au cycle énergétique et à la synthèse de l'oxyde nitrique. On en trouve notamment dans la pastèque.

Glutamine

L'organisme transforme cet acide aminé en un neurotransmetteur particulièrement utile pour les individus du groupe AB incapables de résister aux sucreries. En cas de fringale, dissolvez-en 1 g dans un verre d'eau et buvez ce mélange.

L-histidine

Prenez 500 mg de L-histidine deux fois par jour. Cet acide aminé favorise la surproduction d'acide par l'estomac, surtout chez les personnes souffrant d'allergies.

L-tyrosine

Un surplus d'acide aminé L-tyrosine peut accroître la concentration de dopamine dans le cerveau. Au cours d'une étude, on a administré une boisson riche en tyrosine à des cadets militaires durant une session d'entraînement particulièrement rude, tandis qu'un groupe témoin absorbait un breuvage riche en glucides. Le premier groupe obtint des résultats significativement meilleurs dans les exercices faisant appel à la mémoire et aux capacités d'orientation. Cela permet de supposer que, en période de stress physique et psychosocial, la tyrosine pourrait minimiser l'impact de la fatigue et de la tension nerveuse sur les capacités cognitives.

Sélénium (avec prudence)

Cet oligo-élément semble bénéfique aux sujets du groupe AB, car il serait un composant de leurs défenses anti-oxydantes. Consultez cependant votre médecin avant d'entamer une cure : des cas de toxicité ont été signalés chez des personnes ayant absorbé des doses excessives de sélénium.

Vitamines B

Les personnes du groupe AB ont en général besoin d'un apport conséquent en vitamines du groupe B pour réagir de manière équilibrée en cas de stress. Les plus importantes pour elles sont les vitamines B1 et B6. En période difficile, n'hésitez pas à dépasser nettement les apports journaliers recommandés. Si vous êtes sujet aux sautes d'humeur, envisagez aussi une supplémentation régulière en vitamines B9 (aussi appelée acide folique), dotée d'une action établie sur la régulation de l'humeur. Il est en effet établi qu'on réagit rarement bien aux antidépresseurs classiques (Prozac, Zoloft, etc.) quand on présente un déficit de vitamine B9.

LES MEILLEURS ALIMENTS RICHES EN VITAMINES B POUR LE GROUPE AB

Foie
Fruits
Légumes verts à feuilles
Levures alimentaires
Noix
Œufs
Poisson
Viande

Vitamine C

Les personnes du groupe AB affichent des taux de cancer de l'estomac supérieurs à la moyenne à cause de leur taux d'acidité gastrique trop bas, mais la prise de vitamine C peut rééquilibrer la situation. Ainsi les nitrites, présents dans les viandes fumées ou salées, sont particulièrement nocifs pour vous, car ces composés chimiques sont plus cancérigènes lorsque l'estomac est peu acide ; mais la vitamine C bloque cette réaction grâce à son action anti-oxydante. Cela ne signifie pas que vous deviez vous gorger de vitamine C. J'ai d'ailleurs constaté que les personnes du groupe AB – ou plus exactement leur estomac – toléraient mal les doses supérieures à 1 000 mg par jour. Mieux vaut vous en tenir à deux à quatre doses de 250 mg réparties au fil de la journée. Préférez les gélules à base de baies de cynorrhodon (fruits de l'églantier).

LES MEILLEURS ALIMENTS RICHES EN VITAMINE C POUR LE GROUPE AB

Ananas
Baies
Brocolis
Cerises
Citron
Pamplemousse

Zinc (avec prudence)

J'ai remarqué que la prise d'une supplémentation minime en zinc (de l'ordre de 3 mg par jour) suffisait à protéger efficacement les enfants du groupe AB contre les infections, notamment auriculaires. Attention, toutefois, car le zinc est une arme à double tranchant : si de brèves cures périodiques renforcent les défenses immunitaires, en prendre trop ou pendant trop longtemps produit l'effet inverse et risque d'entraver l'absorption d'autres oligo-éléments. Soyez donc vigilant : bien que le zinc soit en vente libre, il ne devrait être utilisé que sur avis médical.

LES MEILLEURS ALIMENTS RICHES EN ZINC POUR LE GROUPE AB

Viandes recommandées, notamment la dinde (morceaux autres que le blanc)
Œufs
Légumes secs

Plantes médicinales et substances phytochimiques

Aubépine (*Cratægus oxyacantha*). Prédisposées aux affections cardio-vasculaires, les personnes du groupe AB doivent prendre au sérieux la protection de leur cœur et de leurs vaisseaux sanguins. Même si le régime adapté à leur groupe sanguin réduit considérablement le risque qui les menace, les sujets issus d'une famille de cardiaques et ceux qui souffrent de durcissement artériel voudront peut-être se protéger un peu plus. L'aubépine exerce en la matière une action préventive exceptionnelle grâce à la présence d'une efficace substance phytochimique anti-oxydante qui accroît l'élasticité des artères et renforce le cœur, tout en réduisant la tension artérielle et en exerçant une légère action solvante sur les plaques d'athérome déposées sur les parois artérielles. Officiellement inscrite à la pharmacopée allemande, l'aubépine est mal connue dans les autres pays. Elle est cependant facile à trouver sous forme d'extrait ou de teinture-mère dans les magasins de produits diététiques et les pharmacies. Je ne saurais trop chanter les louanges de cette plante, qui est en outre – et les études toxicologiques officielles allemandes le confirment – totalement dépourvue d'effets secondaires.

Bétaïne. Le chlorhydrate de bétaïne peut accroître le taux d'acidité gastrique. La noix de kola en contient, ainsi que diverses substances hépatoprotectrices, mais comme elle se révèle également riche en caféine (nocive pour vous), n'en abusez pas et bannissez cet ingrédient si vous souffrez de problèmes digestifs.

Bromélaïne (enzymes d'ananas). Si vous appartenez au groupe AB et que vous souffrez de ballonnements ou d'autres troubles digestifs, prenez une supplémentation en bromélaïne. Cette enzyme attaque légèrement les protéines des aliments, facilitant ainsi leur digestion.

Chardon marie (*Silybum marianum*). Le chardon marie, anti-oxydant efficace, a l'avantage de se concentrer tout particulièrement dans les canaux du foie et de la vésicule biliaire. Or les personnes du groupe AB sont souvent sujettes aux troubles hépatiques et biliaires. Alors, si les affections du foie, de la vésicule biliaire ou du pancréas sont répandues dans votre famille, envisagez d'absorber du chardon marie (en vente dans les pharmacies et dans les magasins et les rayons de produits diététiques). Les patients atteints de cancer qui suivent un traitement chimiothérapique gagneront à en absorber aussi pour protéger leur foie.

Dendrobium. Cette substance accroît la production d'acide dans l'estomac et celle de gastrine.

Plantes amères. Les naturopathes prescrivent depuis longtemps des plantes comme la gentiane (*Gentiana* spp), afin de stimuler les sécrétions gastriques. Vous pouvez les absorber en tisane légère une demi-heure avant les repas.

Plantes calmantes. Je conseille aux personnes du groupe AB des calmants phytothérapiques légers comme la camomille ou la racine de valériane, à absorber régulièrement sous forme de tisane. La valériane possède une odeur puissante et caractéristique, mais on s'y habitue en général assez rapidement et on en vient même à l'apprécier.

Plantes stimulant les défenses immunitaires. En raison de votre vulnérabilité aux virus et aux autres agents infectieux, il est utile de stimuler votre système immunitaire en douceur grâce à des plantes médicinales appropriées, telles que l'échinacée (*Echinacea purpura*), qui vous aideront à éviter rhumes et grippe et optimiseront peut-être la vigilance de votre organisme à l'encontre des cancers (à prendre en comprimés, en gélules ou sous forme d'extrait liquide). Le *huang-ki* chinois (*Astragalus membranaceus*) se révèle aussi efficace, mais plus difficile à trouver. Les principes actifs de ces deux plantes sont des sucres qui exercent une action mitogène sur les globules blancs, c'est-à-dire qu'ils en accélèrent la production. Or ce sont les globules blancs qui défendent l'organisme contre les agresseurs extérieurs.

Racine de danshen. Cette plante de la pharmacopée traditionnelle chinoise aide l'organisme à réguler sa production d'oxyde nitrique, tout comme deux autres remèdes phytothérapiques chinois, *Cordyceps sinensis* et *Gynostemma pentaphyllum.*

Rhodiola (*Rhodiola rosea*). Outre son activité antistress, cette plante possède une action significative sur l'activité liée au stress des catécholamines dans le cœur et favorise certaines anomalies de la fonction cardio-pulmonaire observées en altitude.

Sangre de grado. Il s'agit d'une plante amazonienne qui favorise la régulation de l'oxyde nitrique.

Quercétine. La quercétine est un puissant antioxydant, des centaines de fois plus puissant que la vitamine E. À ce titre, la quercétine complète utilement la stratégie anticancer du groupe AB. On l'absorbe le plus souvent sous forme de gélules dosées à 100 à 500 mg.

CHAPITRE 15

Stratégies médicales

LA SCIENCE MODERNE a fourni au corps médical un attirail impressionnant de traitements abondamment prescrits par les praticiens du monde entier. Mais avons-nous été assez prudents dans notre emploi des antibiotiques et des vaccins ? Et comment savoir quels médicaments sont bons pour vous, pour votre famille et pour vos enfants ? Une fois encore, votre groupe sanguin – ou celui des vôtres – détient la réponse à vos interrogations.

En tant que naturopathe, je m'efforce bien sûr d'éviter autant que possible de prescrire de tels produits, car il existe presque toujours des substances naturelles tout aussi efficaces et dépourvues des effets secondaires inhérents aux préparations chimiques.

Les remèdes naturels qui suivent sont particulièrement adaptés aux sujets du groupe AB.

ARTHRITE

alfalfa (luzerne)
boswellia (oliban)
calcium
bain au romarin
bain aux sels d'Epsom

CONGESTION

bouillon blanc
ortie
tisane de réglisse
verveine

CONSTIPATION

fibres
écorce de mélèze (ARA-6)
orme rouge
psyllium

DIARRHÉE

L. acidophilus (bactéries de yaourt)
baies de sureau
feuilles de framboisier
myrtilles

DIFFICULTÉS DIGESTIVES, BRÛLURES D'ESTOMAC

bromélaïne
gingembre
hydrastis du Canada (*goldenseal*)
menthe poivrée

DOULEURS ABDOMINALES SPASMODIQUES, FLATULENCES

tisane de camomille
tisane de fenouil
gingembre
tisane de menthe poivrée
suppléments probiotiques contenant du bifidus

DOULEURS DENTAIRES

massage des gencives avec de l'ail écrasé
massage des gencives avec de l'huile de clou de girofle

DOULEURS MENSTRUELLES

cornouiller de la Jamaïque

FIÈVRE

cataire
grande camomille
écorce de saule blanc
verveine

GRIPPE

ail
tisane de cynorrhodon (baies d'églantier)
échinacée
hydrastis du Canada (*goldenseal*)
arabinogalactane
sureau (à titre préventif)

MAL DE GORGE

gargarisme de tisane de racine d'hydrastis du Canada (*goldenseal*) et de sauge

MAL DE TÊTE

camomille
grande camomille
écorce de saule blanc
valériane

MAUX D'OREILLES

gouttes auriculaires : huile d'olive, ail et bouillon blanc

NAUSÉES

gingembre
piment de Cayenne
tisane de racine de réglisse

SINUSITE

thym

TOUX

marrube blanc
tilleul
tussilage

CHAPITRE 16

Les questions que l'on me pose le plus fréquemment

Dois-je absolument effectuer d'emblée tous les changements recommandés pour que le régime du groupe AB fonctionne ?

Non. Je vous engage au contraire à procéder par étapes, en éliminant petit à petit les aliments mauvais pour vous et en augmentant dans le même temps la part de ceux qui sont bénéfiques. Bien des régimes exigent de leurs adeptes qu'ils se convertissent à eux immédiatement, si brutaux que soient les bouleversements nécessaires pour y parvenir. Je juge plus réaliste, et à terme plus efficace, de préférer un apprentissage progressif. Ne vous contentez pas de me croire sur parole : il faut que vous sentiez dans les fibres de votre corps la justesse de mes conseils.

Peut-être ne connaissiez-vous pas grand-chose aux aliments bons ou mauvais pour vous avant de découvrir le régime adapté à votre groupe sanguin. Nous sommes en effet habitués à choisir nos mets en nous fiant à nos papilles, aux traditions familiales et au dernier régime amincissant à la mode. Sans doute consommez-vous déjà sans le savoir des aliments bons pour votre santé, mais le régime du groupe AB va vous donner le moyen de composer chacun de vos repas en connaissance de cause. Une fois votre plan nutritionnel idéal mémorisé, rien ne vous interdit de vous en écarter un peu à l'occasion. La rigidité est ennemie du plaisir et je n'en suis pas adepte. Le régime du groupe AB vise à vous apporter santé et bien-être, pas à vous affamer, ni à vous faire perdre le goût de vivre. Le simple bon sens vous dictera parfois d'oublier un peu vos principes diététiques – par exemple lorsque vous dînez chez vos parents !

J'appartiens au groupe AB et mon mari au groupe O. Comment procéder ? Je ne veux pas préparer deux menus différents à chaque repas.

Voilà un problème que je connais bien car Martha, ma femme, appartient au groupe O, et moi j'appartiens au groupe A. En général nous parvenons à partager deux tiers de nos repas. Seules nos sources de protéines diffèrent. Nous préparons, par exemple, des légumes sautés au wok pour nous deux, que Martha agrémentera d'un peu de poulet, et moi de tofu. Si nous mangeons des pâtes, elle ajoutera un peu de bœuf haché dans son assiette. Cette discipline nous paraît relativement facile, car chacun de nous connaît assez bien le régime de l'autre.

Je vous suggère de vous reporter à mes ouvrages plus complets *4 Groupes sanguins, 4 Régimes* et *4 Groupes sanguins, 4 Modes de vie*, qui comportent des informations et des conseils destinés aux familles dont les membres possèdent des groupes sanguins différents. Je sais que beaucoup d'entre vous s'inquiètent des divergences entre les protocoles nutritionnels, mais sachez que ce régime répertorie plus de deux cents aliments et beaucoup d'entre eux sont excellents pour tous les groupes sanguins. Si l'on considère que la plupart des gens composent leurs menus avec une moyenne de vingt-cinq aliments seulement, le régime Groupe sanguin élargit plutôt les choix !

Pourquoi vos recommandations nutritionnelles tiennent-elles compte de l'origine ethnique ?

Il s'agit là d'aider mes lecteurs à affiner le régime Groupe sanguin en fonction de leur hérédité. De même que les besoins des hommes, des femmes et des enfants diffèrent, on doit considérer la morphologie, la géographie et les préférences gustatives culturelles de chacun. Ces suggestions vous accompagneront au début votre régime. Plus tard, quand vous y serez complètement habitué, vous calculerez vous-même les portions qui vous conviennent le mieux.

Mes recommandations incluent en outre les problèmes spécifiques liés à l'origine ethnique, tels que l'intolérance au lactose pour les personnes d'ascendance africaine, ou encore le fait que les Asiatiques consomment traditionnellement très peu de laitages, ce qui peut rendre nécessaire une introduction plus progressive de ces denrées dans l'alimentation, afin d'éviter toute gêne.

Dois-je consommer tous les aliments estampillés « très bénéfiques » pour mon groupe sanguin ?

Ce serait impossible ! Considérez le régime adapté à votre groupe sanguin comme la palette sur laquelle un peintre sélectionne ses couleurs pour obtenir une infinité de teintes et de nuances. Efforcez-vous d'absorber chaque semaine les quantités indiquées de chaque catégorie d'aliments, en sachant que le rythme hebdomadaire se révèle sans doute plus important que la taille des portions.

Si vous affichez une silhouette fluette, réduisez un peu vos portions, mais veillez néanmoins à respecter la cadence recommandée. Cela garantira un apport constant de nutriments essentiels dans votre flux sanguin.

Que dois-je faire lorsqu'un aliment « à éviter » est le quatrième ou cinquième élément de base d'une recette de cuisine ?

Cela dépend de votre état de santé et de votre tempérament. Si vous souffrez d'allergies alimentaires ou de colite, vous préférerez peut-être renoncer à suivre cette recette. Même chose si vous aimez respecter un régime à la lettre, donc bannir complètement les aliments « à éviter ». Je juge pour ma part ce type de comportement un peu excessif.

Sauf si vous y êtes allergique, consommer occasionnellement un aliment qui n'est pas recommandé par votre régime ne peut pas vous faire grand mal.

Vais-je perdre du poids en adoptant le régime Groupe sanguin ?

Il existe plusieurs réponses à cette question.

En premier lieu, la plupart des personnes en surpoids ont une alimentation déséquilibrée : elle comporte des produits qui bouleversent leur métabolisme, entravent la digestion et favorisent la rétention d'eau. Le régime adapté à votre groupe sanguin élimine par définition toutes ces distorsions. Si vous le respectez, votre métabolisme va se stabiliser à son niveau idéal, si bien que vous brûlerez les calories plus efficacement, votre appareil digestif utilisera les nutriments de manière optimale et vous ne retiendrez plus d'eau dans vos tissus. Très rapidement vous perdrez du poids.

Paradoxalement, bon nombre de mes patients qui souffrent de problèmes pondéraux sont au régime de manière chronique depuis de longues années. On pourrait penser que surveiller constamment sa ligne est une garantie de minceur. Pourtant, si la structure de l'alimentation à laquelle on s'astreint et les mets consommés vont à l'encontre de tout ce qui convient à son organisme, on n'atteint jamais son poids idéal. Notre civilisation tend à définir des protocoles amincissants universels et convenant à tous. Et l'on s'étonne que cela ne fonctionne pas. L'explication est pourtant évidente ! Des groupes sanguins différents réagissent aux aliments de manière différente. Si vous aspirez à perdre du poids, le programme nutritionnel et le programme sportif adaptés à votre groupe sanguin vous permettront d'observer très rapidement des résultats positifs.

Doit-on compter les calories dans le cadre du régime du Groupe AB ?

Ce régime comporte une période d'ajustement, au cours de laquelle vous apprendrez peu à peu quelles portions vous conviennent le mieux. Il est important de mesurer les portions alimentaires que vous consommez. En effet, quel que soit l'aliment en question, on grossit si on en abuse.

Cela semble si évident que j'ose à peine le souligner, mais la voracité de nos contemporains constitue un grave problème de santé publique. Quand on mange trop, les parois de l'estomac se distendent comme l'enveloppe d'un ballon gonflable. Et bien que les muscles qui les entourent soient élastiques et conçus pour se contracter et se détendre, point trop n'en faut : les cellules de la paroi abdominale sont terriblement malmenées quand on grossit excessivement.

Si vous avez tendance à vous empiffrer jusqu'à ne plus rien pouvoir avaler et que vous somnolez souvent après les repas, efforcez-vous de diminuer le volume du contenu de vos assiettes. Apprenez à écouter votre corps pour retrouver le chemin de la forme et de la santé.

La plupart des céréales que vous évoquez me sont inconnues. Comment puis-je me documenter sur elles ?

Les magasins de produits diététiques sont une véritable caverne d'Ali Baba pour qui souhaite diversifier son apport en céréales. Nombre de céréales anciennes ont été récemment remises au goût du jour et sur les rayons. Ainsi de l'amarante, une céréale mexicaine, ou de l'épeautre, cousine rustique du blé qui semble ne présenter aucun des inconvénients du blé complet. Goûtez-les : elles ne sont pas mauvaises du tout. La farine d'épeautre donne un pain compact et plutôt savoureux, et l'amarante d'originales préparations céréalières pour le petit déjeuner.

Essayez aussi les pains de blé germé, car les lectines du gluten, concentrées dans l'enveloppe du grain, sont détruites par le processus de germination. Comme ces pains s'altèrent rapidement, on les trouve en général dans le rayon réfrigéré des magasins de produits diététiques. Il s'agit d'aliments vivants, riches en enzymes bénéfiques (méfiez-vous des « pains de blé germé » industriels qui contiennent en général une très faible proportion de blé germé, ajoutée à une base de blé complet). Ces pains à la saveur légèrement sucrée – car la germination des grains libère des sucres –, tendres et moelleux, font d'excellents toasts.

Je suis allergique aux cacahuètes, mais vous dites qu'elles sont excellentes pour les personnes du groupe AB. Que dois-je penser ?

Permettez-moi tout d'abord de vous conseiller de déterminer tout d'abord si vous êtes réellement allergique aux cacahuètes, puisque les allergies résultent le plus souvent d'interactions nocives entre des lectines et vos antigènes sanguins. Il peut arriver qu'on se croie allergique à un aliment parce que, une fois, celui-ci ne nous a « pas réussi » ou parce que l'on vous a affirmé que votre problème venait de là. Les médecins comme leurs patients tendent en effet à brandir le terme d'allergie dès qu'ils ne comprennent pas bien ce qui suscite un souci de santé. Les cacahuètes ont peut-être fait office de bouc émissaire parce qu'elles entraient dans la composition d'un plat contenant d'autres ingrédients qui ne vous convenaient pas.

Bien entendu, en cas d'allergie déclarée et dûment diagnostiquée, renoncez complètement à l'aliment en cause, cacahuète ou autre ingrédient.

ANNEXE A

Le groupe AB : survol rapide

Le groupe AB

L'Énigme

Rare – charismatique – mystérieux

Forces	Faiblesses	Risques médicaux	Profil nutritionnel	Pour perdre du poids	Suppléments	Programme sportif
Conçu pour le monde moderne Système immunitaire très tolérant Évolutif et adaptable	Tube digestif sensible Vulnérable aux agressions bactériennes	Affections cardio-vasculaires Cancer	VARIÉ • Viande • Poisson • Laitages • Tofu • Pois • Légumes secs • Céréales • Légumes • Fruits	À ÉVITER • Poulet • Maïs • Haricots rouges • Sarrasin UTILES • Tofu • Poisson • Fruits de mer • Légumes verts • Laminaire	Vitamine C Aubépine Chardon marie Échinacée Quercétine Valériane	Activités calmantes favorisant la concentration telles que le yoga, combinées avec des activités physiques modérées telles que le vélo ou le tennis

ANNEXE B

Pour en savoir plus

À PRÉSENT QUE VOUS MAÎTRISEZ les bases du régime Groupe sanguin, je vous incite vivement à étendre vos connaissances en la matière. La série « 4 Groupes sanguins » (*4 Groupes sanguins 4 Régimes* et *4 Groupes sanguins 4 Modes de vie*) propose l'information la plus complète, scientifiquement fondée et cliniquement testée disponible sur les groupes sanguins. Pour tirer le meilleur parti possible des recommandations adaptées à votre cas en termes de nutrition et de mode de vie, il importe que vous acquériez une connaissance basique de tous les groupes sanguins. Vos spécificités s'inscrivent en effet dans le cadre du système complexe d'oppositions et de synergies qui régit la nature.

Mieux comprendre les facteurs liés au processus de l'évolution qui distinguent les groupes sanguins entre eux vous aidera à vivre plus pleinement votre groupe AB. Ces ouvrages comportent de surcroît des informations et des conseils détaillés adaptés à votre groupe sanguin.

Pour plus de précisions, consultez le site Internet du Dr D'Adamo :

www.dadamo.com

Remerciements

Un parcours scientifique ne s'effectuant jamais en solitaire, je tiens à remercier toutes les personnes qui m'ont épaulé dans mes recherches, ainsi que toutes celles qui m'ont soutenu, inspiré, stimulé et fait confiance. Je remercie tout particulièrement ma femme, Martha, de son amour et de son amitié, mes filles, Claudia et Emily, pour le bonheur qu'elles m'apportent, mes parents, James D'Adamo Sr et Christl, qui m'ont appris à me fier à mon intuition.

Je tiens également à exprimer mon immense gratitude à :

Catherine Whitney, qui a rédigé ce livre, et son collaborateur Paul Krafin : ils ont su exprimer des théories scientifiques incroyablement complexes en principes clairs, applicables au quotidien.

Mon agent littéraire, Janis Vallely, pour son soutien sans faille et ses encouragements.

Amy Hertz, des éditions Riverhead/Putnam, dont la vision d'ensemble a permis de traduire la science des groupes sanguins sous la forme d'un programme accessible à tous.

Jane Dystel, l'agent littéraire de Catherine Whitney, pour ses conseils toujours pertinents.

Heidi Merritt, pour le temps et l'attention qu'elle a consacrés à ce manuscrit et grâce auxquels il se rapproche un peu plus de la perfection.

Mes collaborateurs du 2009, Summer Street, pour leur aide et leur conscience professionnelle, ainsi que la valeureuse équipe du 5, Brook Street.

Enfin, je remercie tous les merveilleux patients qui m'ont honoré de leur confiance au fil de leur quête de la santé et du bonheur.

Table des matières

ANNEXES

Composition PCA
44400 - Rezé

Impression réalisée sur CAMERON par

BRODARD & TAUPIN

GROUPE CPI

La Flèche

pour le compte des Éditions Michel Lafon
en avril 2003

Imprimé en France
Dépôt légal : mai 2003
N° d'impression : 18560
ISBN : 2-84098-946-8
LAF 347 D